Pour notre peti[t]

Un petit cadeau pour te

féliciter pour tous tes bons

Le détective

efforts dans ta classe de
3ᵉ année !

Bravo pour tes beaux
succès !

Nous t'aimons
très très fort xxx
x x x grand-mère Dorothy xx
grand-père Henri x x x

© 2003 – Chouette Edition - 3C Lausanne
pour tous pays
et pour toutes langues.
Toute reproduction, même partielle,
interdite sans autorisation expresse.
Droits de reproduction : organismes agréés ou
ayant-droit.
ISBN : 2-8800-1358-5
Collection Poche Jeunesse
Directrice de collection : Dominique Spiess
Impression : PPO Graphic, Pantin

Le détective

Textes écrits et choisis par Dominique Spiess
Illustrations de Marie-Hélène Billondeau

Chouette Edition

Le détective

Un grand cri de colère part de la cuisine. Camille lâche en sursautant son Sherlock Holmes et dévale l'escalier. Sa maman est debout devant le four. Elle désigne du doigt l'étagère où elle range d'habitude les pots de confiture.

- Regarde! dit-elle en colère, il manque le dernier pot de banane-chocolat que j'avais promis d'offrir à Tante Véronique. Si j'attrape le polisson qui a fait une chose pareille, il va avoir de mes nouvelles.

-Ne t'inquiète pas Maman, le grand Sherlok Camille va mener l'enquête et te ramènera le voleur en le tirant par l'oreille.
Sur ces mots, Camille quitte la cuisine et se rend dans le bureau de son papa. Il a besoin d'un outil essentiel pour rechercher la piste du coupable. Il ouvre le tiroir du haut et en sort une grande loupe ronde.
- A nous deux, voleur de confitures ! lance-t-il en s'élançant hors du bureau.

Il faut avoir de la méthode : Camille commence ses

recherches dans l'entrée,
parce que c'est la pièce de la maison par laquelle
tout le monde passe. La loupe à la main, il observe le
paillasson, retourne le portrait de son arrière-grand-
mère pour voir ce qui s'y cache, soulève les fesses du
chat couché sur la première marche de l'escalier afin
de vérifier s'il n'y a pas un indice dessous.
Et que trouve-t-il justement ? Un petit bout de
papier arraché sur lequel Camille déchiffre : " ture "
et " chocolat ".

- Ah, ah ! fait-il,
c'est un morceau
de l'étiquette du pot
de confiture à la
banane et au chocolat.
Tu caches les preuves,
Mistigri, tu protèges le
voleur ! dit-il en
menaçant le chat avec sa
grosse loupe.

Mistigri, tout effrayé, se lève d'un bond et grimpe
l'escalier à toute allure pour se réfugier à l'étage
supérieur.
- Il fuit prévenir le coupable que je suis sur sa trace !
s'écrie Camille. Il faut que je le suive et il me
mènera vers lui.
Et le petit garçon s'élance à son tour dans l'escalier.
Arrivé sur le palier, il est bien embêté : Mistigri a
disparu. Est-il parti à gauche vers la chambre de ses
parents, ou à droite vers la salle de bain, la chambre
de sa sœur Gabrielle ou la sienne ? Camille se met à
quatre pattes, regardant avec sa loupe s'il ne peut

trouver sur la moquette quelques poils de chat perdus dans la fuite qui lui indiqueraient la direction à prendre. Et soudain la loupe se pose sur un couvercle à gros carreaux rouges, comme ceux que l'on trouve sur les pots de confiture. Il indique clairement que le voleur est allé à gauche.

Les yeux rivés sur le sol, Camille avance lentement et découvre une goutte sur la moquette. Il met son doigt dedans, le porte à sa bouche. Pas de doute, cela a le goût de banane-chocolat. Le coupable est bien bête de laisser autant d'indices ! Une autre goutte de confiture suit la première, puis encore une autre...

Camille remonte la piste qui s'arrête au pied d'une porte. Le petit garçon pose la main sur la poignée pour l'ouvrir.

Elle est toute collante.

" Mais bien sûr, pense-t-il, mon voleur est caché dans cette pièce ".

Il ouvre rapidement la porte pour le surprendre. Et il se retrouve dans sa propre chambre. Sur le sol se trouve le pot volé à côté d'un livre de Sherlock Holmes.

Camille pousse un gros soupir, prend d'une main le pot de confiture bien entamé, attrape de l'autre son oreille qu'il tire et descend rejoindre sa maman dans la cuisine.

Le téléphone

(K. Tchoukotski)

Le téléphone sonne :
- Qui m'appelle ?
- La gazelle.
- De la part ?
- Du léopard.
- Que voulez-vous ?
- Du cochon.
- Pour qui ?
- Pour ses petits riquiquis.
- Combien il vous en faut ?
- Cinq ou six quintaux ;
Davantage serait dommage
On ne mange guère à cet âge.

La fourmi qui en avait assez

- **A**ssez, crie N°579 en laissant tomber son grain de riz, je n'en peux plus !

N°580, qui n'a pas vu que N°579 s'arrête, lui rentre dedans.

- Non, mais qu'est-ce qui t'arrive, avance! Tu vas faire un bouchon !
- Non, c'est hors de question !
- J'en ai assez ! ça suffit !

- Mais qu'est-ce qui se passe? demande N°581 en se heurtant à N°580 qui tamponne N°579.
- N°579 en assez, dit N°580
- Assez de quoi ? demande N°581.

Elle pousse un cri de douleur parce que N°582 vient d'entrer en collision avec elle.
- Non mais tu ne peux pas regarder devant toi, empotée ?
- Et c'est trop dur de prévenir les gens que tu n'avances plus? réplique vertement N°582.
- Si tu es aussi aimable que cela, oui !
- Boum! fait N°583 dans N°582. Qu'est-ce que vous fabriquez devant ?
- Demande à cette sotte de N°581, répond N°582.
- Je ne t'ai pas sonnée, pauvre cloche !
- Vous avancez oui ou zut ! s'enquiert N°584 qui vient de se remettre de sa rencontre involontaire avec le postérieur de N°583.

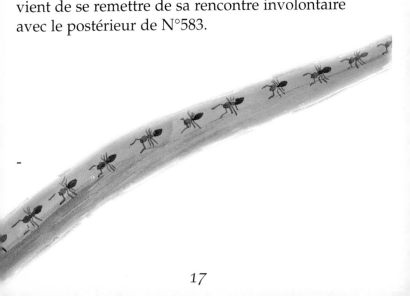

17

- Toi, tais-toi! ordonnent en chœur les voix
de N°580, N°581, N°582 et N°583.
- Si cela me plaît! répond N°584 avec un brin
d'agressivité.
Et elle flanque une gifle à N°585 qui vient de la
tamponner

Etourdie, N°585 veut répliquer, mais comme
elle est bousculée par N°586, son coup de poing
rate N°584 et va s'écraser sur le nez de N°583 qui,
au lieu de rendre son coup à N°585, gifle N°582.

N°579 constate que son mouvement d'humeur a pris
des allures de pugilat, et apercevant au loin les
agents de sécurité F263 et F264 qui arrivent
menaçants sur les lieux, elle juge bon de reprendre
son grain de riz et poursuit sa route.
Personne, à ce jour, n'a jamais su de quoi elle avait
eu assez !

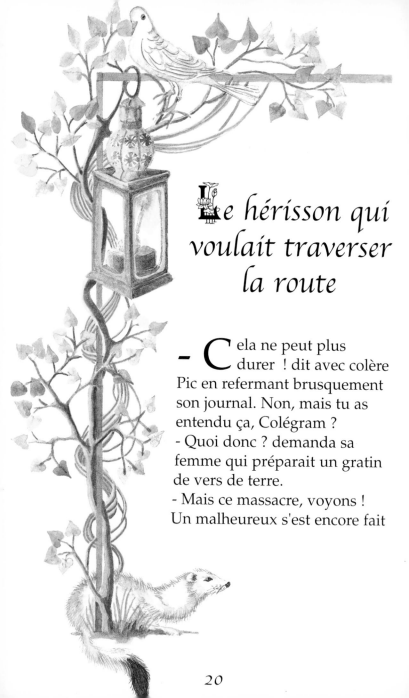

Le hérisson qui voulait traverser la route

- **C**ela ne peut plus durer ! dit avec colère Pic en refermant brusquement son journal. Non, mais tu as entendu ça, Colégram ?
- Quoi donc ? demanda sa femme qui préparait un gratin de vers de terre.
- Mais ce massacre, voyons ! Un malheureux s'est encore fait

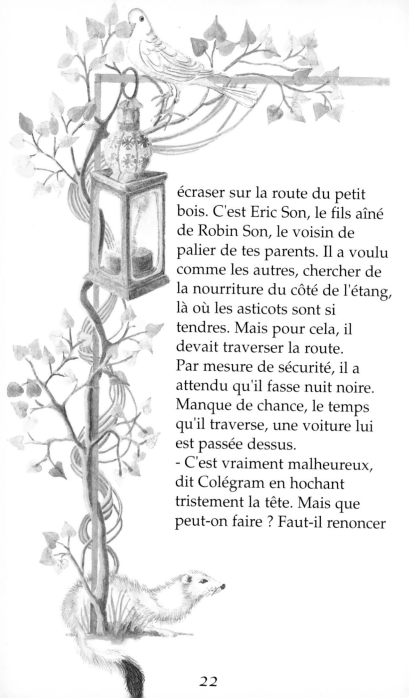

écraser sur la route du petit
bois. C'est Eric Son, le fils aîné
de Robin Son, le voisin de
palier de tes parents. Il a voulu
comme les autres, chercher de
la nourriture du côté de l'étang,
là où les asticots sont si
tendres. Mais pour cela, il
devait traverser la route.
Par mesure de sécurité, il a
attendu qu'il fasse nuit noire.
Manque de chance, le temps
qu'il traverse, une voiture lui
est passée dessus.
- C'est vraiment malheureux,
dit Colégram en hochant
tristement la tête. Mais que
peut-on faire ? Faut-il renoncer

aux succulents vermisseaux de l'étang ?
- Certainement pas! répliqua Pic.
- Fais-moi confiance, je vais trouver une solution.
Et il passa le reste de la soirée, silencieux, à se
creuser la tête. La nuit, dans son lit de feuilles, il
tourna et retourna la question dans tous les sens.
Puis il s'endormit enfin, le sourire aux lèvres.
- J'ai l'idée qui va nous simplifier la vie, annonça-t-il
au petit déjeuner devant son bol fumant de lombrics.
- Dis vite, le pressa Colégram.

- Je sors ! Bonne journée ma bichounette ! Je te dirai ce soir, sois patiente !

Il marcha pendant quelque temps, un hérisson ne se déplaçant que très lentement. A midi, il arriva devant une motte de terre sur laquelle une pancarte portait les mots suivants : «Entreprise Taupe et Fils, Trous en tous genres».
- J'y suis, dit Pic, satisfait. Et il sonna.
- C'est à quel sujet? demanda une taupe à lunettes - c'est bien connu, les taupes sont myopes comme des taupes - qui portait une serviette à gros carreaux rouges autour du cou.

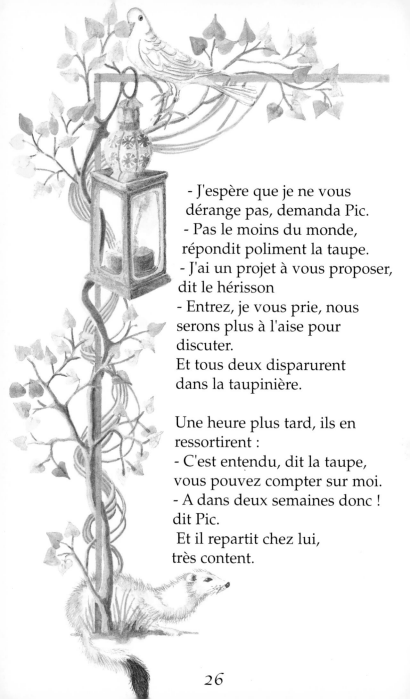

- J'espère que je ne vous
dérange pas, demanda Pic.
- Pas le moins du monde,
répondit poliment la taupe.
- J'ai un projet à vous proposer,
dit le hérisson
- Entrez, je vous prie, nous
serons plus à l'aise pour
discuter.
Et tous deux disparurent
dans la taupinière.

Une heure plus tard, ils en
ressortirent :
- C'est entendu, dit la taupe,
vous pouvez compter sur moi.
- A dans deux semaines donc !
dit Pic.
Et il repartit chez lui,
très content.

Deux semaines plus tard, tous les hérissons du bois trouvèrent dans leur boîte aux lettres le message suivant : " Chers amis, Nous vous convions demain à 14 heures précises au bord de la route du petit bois, devant le gros chêne. Une surprise vous y attend.
Signé : Pic Epic et Colégram "

Le lendemain, le bord de route n'avait jamais vu un tel rassemblement de hérissons. On aurait cru que l'herbe s'était transformée en tapis de piquants. On aurait dit un gigantesque paillasson. Ils attendaient tous, se regardant les uns les autres à la recherche d'une explication.

Enfin Pic arriva suivit de Colégram. Il monta sur un champignon.
- Mes amis, commença-t-il, quel est notre tourment le plus grand ? C'est cette route meurtrière qui se trouve derrière vous. Chaque année, des dizaines de hérissons y trouvent la mort. Allons-nous continuer à nous faire décimer ?
- Non! cria l'assemblée à l'unisson.

- Il faut réagir !
- Oui ! répondit en chœur la foule
de hérissons !
- Suivez-moi, frères, dit alors Pic.
Il descendit de son champignon et
entraîna
le groupe cent mètres plus loin.
Là, devant un trou creusé devant la
route attendait la taupe de Taupe et
Fils, accompagnée d'ouvriers.
- La solution est devant vous,
annonça-t-il fièrement, née de mon
cerveau et des efforts de M.Taupe.
Voici le tunnel qui relie cette partie de
la forêt à l'étang. Il passe sous la route, et
permet donc de la traverser en toute
sécurité. Finis les accidents, à nous les larves
fondant dans la bouche !
- Hourra! crièrent tous les hérissons. Vive Pic Epic !
Depuis ce jour, il n'y a plus de hérisson écrasé sur la
route du petit bois. En revanche, on trouve sur le
bord de cette même route, un petit hérisson gris
immobile, à côté d'un trou de taupe. Il s'agit de la
statue que la communauté hérisson a érigée à Pic
pour lui prouver sa reconnaissance.

Treize poules pour un œuf

C'était la veille de Pâques et Patrick O'Malet s'aperçut qu'il n'avait pas un seul œuf pour se décarêmer. Il alla voir son voisin Mac Gregor afin de le prier de le dépanner de quelques pences pour quelques jours.

En bon Ecossais, Mac Gregor était près de ses sous. Il rechigna un moment, prétexta qu'il n'avait pas eu le temps de passer à la

32

banque, invoqua tous
ensemble les saints écossais,
puis finit par céder. La
tradition, en Ecosse, c'est sacré.
Laisser son voisin passer le jour
de Pâques sans un seul œuf, lui
semblait relever de la plus pure
méchanceté. Il finit par accepter
tout en trouvant un subterfuge.
- Il me reste deux œufs durs.
Je pensais les manger tous les deux,
mais si tu veux, je t'en donne un.

Tiens voilà ton œuf ! Mais n'oublie pas de
me le rendre !
- Ne t'inquiète pas, Mac Gregor.
D'ici quelques jours, je te le rendrai. Merci et
joyeuses Pâques !
Les jours passèrent et Patrick O'Malet oublia de
rendre à César ce qui lui revenait. Il fallut attendre la
veille de Pâques de l'année suivante pour qu'il s'en
souvînt.
O'Malet se rendit chez son voisin.
- Qui paie ses dettes s'enrichit, se dit-il.
Cette idée l'enchanta tout à fait. Il pourrait même
s'enrichir deux fois plus.
- Tiens Mac Gregor, je te rends

ton œuf. Et comme
je suis honnête, je t'en
donne un deuxième pour te
remercier. Te voilà remboursé
intérêt et
principal.
Mais, à sa grande surprise, son
voisin ne l'entendit pas ainsi.
Il sortit d'un tiroir un petit
carnet.
- Mais tu n'y es pas du tout,
mon cher. Tu es loin du
compte ! Tiens voilà
exactement ce que tu me dois.
Il se gratta le bout de l'oreille
avec son crayon à papier.
- Alors, voyons, nous ne
sommes pas une année
bissextile, alors voilà
exactement 364 jours que

tu m'as emprunté mon œuf. Si j'avais gardé cet œuf, il en serait né une poule qui aurait pondu... allez... en moyenne... disons 200 œufs, ce qui est bien peu je te l'accorde. Mais bon ! soyons bon prince. De la douzaine d'œufs que j'aurais fait couver, il serait né 12 poules qui auraient à leur tour pondu une centaine d'œufs chacune. Donc, si je calcule bien, nous en sommes, pour 364 jours à 1400 œufs auxquels il convient d'ajouter l'œuf que je t'ai prêté, soit 1401 œufs plus 13 poules.

Patrick O'Malet resta un instant sans pouvoir prononcer un mot.

- C'est une farce ?

- Absolument pas ! Tu vas voir si c'est une

farce ! Si tu ne me rembourses
pas à l'œuf et à la poule près
ce que je t'ai demandé,
je porte plainte.
Ce qui fut dit, fut fait.
Les deux voisins se retrouvèrent
devant le juge.
A la fin de l'audience, le juge
prononça la sentence.
- Mac Gregor a raison. Patrick O'Malet,
vous êtes condamné à rembourser au
plaignant la somme équivalente à
1401 œufs et 13 poules.
Patrick O'Malet eut alors une idée.
Ah ! ces deux gredins se payaient sa tête !
Il allait leur rabattre leur caquet à
ces éleveurs de poules !
Il s'adressa au juge.
- Monsieur le Juge, je suis bien dans
l'impossibilité de régler une pareille somme.

Prenez-moi comme jardinier.
Vous prélèverez une part de
mon salaire pour le
remboursement de ma dette.
De cette manière, vous serez
sûr que votre jugement sera
respecté.
La proposition semblait
honnête et l'accord fut conclu.
Patrick O'Malet ne ménagea
pas sa peine. C'était
justement l'époque après Pâques,
où il faut bêcher, sarcler, biner, planter
les graines. Le juge était vraiment très
satisfait.
Un soir, Patrick O'Malet vint le trouver et
lui dit :
- Monsieur le Juge, j'ai terminé de planter
ces oignons de tulipes que vous avez fait

venir spécialement de
Hollande par bateau
et qui vous ont coûté
une fortune. Demain,
je plante des pommes de
terre parce que c'est vendredi.
Le juge ne cacha pas sa surprise.
- Ah bon ! je ne savais pas que le
vendredi était un bon jour pour planter
des pommes de terre. Et pourquoi pas un
jeudi ?
- Parce que c'est le jeudi qu'on fait du ragoût,
et comme on fait toujours cuire trop de
pommes de terre, il en reste toujours de reste
le lendemain !
Le juge fut aussi ironique que perplexe.
- Et tu veux planter des pommes de terre déjà
cuites ? Je doute que tu obtiennes une bonne
récolte !

- Oh ! moi, Monsieur le Juge, je ne connais trop rien à ces choses-là. Mais je suis votre conseil. Vous m'avez appris qu'un œuf dur peut avoir une véritable descendance. C'est la raison pour laquelle j'ai fait bouillir vos précieux oignons pensant que la récolte serait bien meilleure.

Le juge comprit la leçon.

- C'est bien, Patrick O'Malet. je crois effectivement que ce jugement

n'est peut-être pas si juste. Faites appel, je réviserai la sentence. A présent, rentrez chez vous.
Au moment de partir, Patrick O'Malet crut bon de dire au juge :

- A propos, Monsieur le Juge ! je me demande si je n'ai pas oublié de faire cuire vos oignons !

Le petit oiseau

Oh ! Le joli petit oiseau avec ses belles plumes mêlées de noir et de blanc ! Comme il saute gracieusement d'une branche à l'autre parmi les feuilles vertes, là-haut, sur l'arbre plein de fruits. Il s'arrête pour chanter, levant la tête, tendant son bec noir et gonflant le cou. Comme je serais heureux si j'avais à moi le joli petit oiseau !

Et Pierre se dit qu'il n'a qu'à faire comme le jardinier, l'autre jour. D'une main, il tient ouvert le pan de son tablier bleu, de l'autre, il secoue l'arbre.
Mais les abricots que faisait tomber le jardinier n'avaient pas d'ailes. Les abricots tombent, les oiseaux s'envolent. Adieu le joli petit oiseau !

Atterrissage forcé

Nous avons construit un avion avec deux cartons, un manche à balai et deux chaises empaillées. Nous y avons mis une Game-boy pour communiquer avec les Martiens, un verre vide pour le remplir d'eau de pluie, un tambour pour répondre au tonnerre ; et puis aussi deux oreillers bien rembourrés en cas d'atterrissage forcé.

À califourchon

Je l'ai surpris à la tombée de la nuit à califourchon sur le mur. Sans doute me croirez-vous lorsque je vous dirai qu'il avait un gros sac sur le dos.
Mais oui, c'est comme je vous le dis, un gros sac plein de... Ah ! Ah ! vous aimeriez bien le savoir !
A votre avis, que peut-il bien y avoir dans ce gros sac de toile ?
Le problème, c'est que quand je vous l'aurai dit, vous dormirez déjà, car celui que j'ai surpris à la tombée de la nuit, à califourchon sur le mur s'appelle le marchand de sable et lorsqu'il ouvrira son sac...
Mais tiens ! vous dormez déjà ?

Le renard et le chat

— Bonjour Monsieur le renard, comment vous portez-vous ? demanda aimablement un jour un chat à un renard.

- Misérable chasseur de souris, répliqua le renard sur un ton de mépris. Tu oses te faire l'honneur de me demander comment je me porte ? Mais pour te permettre de me questionner, quelles sont donc les connaissances

50

que tu possèdes ? De combien d'arts, connais-tu les secrets ?
- Je n'en connais qu'un seul, répondit le chat d'un air modeste et confus. Quand les chiens sont à ma poursuite je sais leur échapper en grimpant sur un arbre.
- Est-ce là tout ? reprit le renard. Moi je suis passé docteur en cent arts divers ; je possède en outre un sac tout rempli de ruses. Suis-moi et je t'apprendrai comment on échappe aux chiens.

Comme il achevait ces mots, un chasseur précédé de quatre dogues vigoureux, parut au bout du sentier. Le chat s'empressa de sauter sur un arbre, et alla se fourrer dans les branches les plus touffues, si bien qu'il était entièrement caché.

Hâtez-vous de délier votre sac ! Hâtez-vous d'ouvrir vos sac ! cria-t-il au renard.
Mais déjà les chiens s'étaient précipités sur ce dernier et le tenaient entre leurs crocs.
- Eh ! monsieur le renard, cria de nouveau le chat. Vous voilà bien embourbé avec vos cent arts ! Si vous n'aviez su que grimper comme moi, vous seriez en ce moment un peu plus à votre aise.

Le loup et le renard
(d'après Grimm)

Certain loup s'était fait le compagnon de certain renard, et les moindres désirs de sa seigneurie le loup devenaient des ordres pour son très humble serviteur.

- Ami à la barbe rouge, lui dit le loup, mets-toi en quête de me procurer un bon morceau ; sinon je te croque.

- Seigneur loup, je connais une ferme dont la

fermière est présentement occupée à faire des gâteaux délicieux ; si vous voulez, nous irons en dérober.

Parvenus à la ferme, le renard fureta si bien qu'il finit par découvrir l'endroit où la ménagère cachait ses gâteaux, en déroba successivement une demi-douzaine et courut les porter au loup. Le loup ne fit qu'une bouchée des six gâteaux qui, loin de le rassasier, aiguillonnèrent son appétit.

Il retourna dans la ferme d'où il avait vu sortir le renard et parvint dans l'office où se trouvaient les gâteaux.

Mais dans son avidité, il voulut tirer à lui tout le plat qui tomba sur le carreau et vola en pièces.

Attirée soudain par un tel vacarme, la fermière chassa maître loup qui fut rossé d'importance.

- Dans quel horrible guêpier m'as-tu conduit ? lui dit-il.

- Pourquoi votre seigneurie est-elle si insatiable ? répondit le renard.

- Ami à la barbe rouge, lui dit-il mets-toi en quête de me procurer un bon morceau ; sinon je te croque.

- Je connais un homme qui vient de saler un porc.

- Allons-y sans tarder, dit le loup.

Ainsi que le renard l'avait prédit, jambon et lard se trouvaient là en abondance.

Le loup fut bientôt à l'œuvre, et en mangea le plus possible.

- Que votre seigneurie prenne seulement garde de se donner une indigestion, dit le renard.
- Je ne sortirai d'ici, répliqua le loup, que lorsqu'il ne restera plus rien.
Dans l'intervalle, arriva le paysan, attiré par le bruit que faisaient les bonds du renard. Ce dernier n'eut pas plutôt aperçu notre homme, qu'en un saut il fut hors de la cave ; sa seigneurie le loup voulut le suivre, mais par malheur, il avait tant mangé que son ventre ne put passer par la lucarne, et qu'il y resta suspendu.
Sans sa gloutonnerie, se dit le renard, je ne serais pas encore débarrassé de cet importun compagnon.

Pas de poux chez les Papous

Au pays de Papouasie
Je suis allée chercher des poux
Mais je n'ai trouvé que des Papous
Alors, je suis revenue sans rien du tout !

Le zèbre

– Moi je voudrais bien savoir pourquoi les zèbres ont des rayures.

– Peut-être bien qu'avant, ils étaient tout blancs et que quelqu'un les a peints en noir.

– Ou peut-être bien qu'ils étaient tout noirs et qu'on les a peints en blanc !

– Moi, je crois que ce sont les rayons du soleil qui sont passés au travers des arbres. Ils ont bronzé par tranches, un peu comme les toasts en sortant du grille-pain.

– C'est bête ce que vous dites ! Moi je sais que le zèbre, il en avait assez d'être chassé. Alors, il a mis sa tenue de camouflage. Vous voyez bien que sa peau elle est toute lisse. Les quatre boutons qui la boutonnent, ils sont juste en dessous. C'est pour ça que vous ne pouvez pas les voir !

La guerre

- A quoi on joue ? demande Raphaël.

- A la guerre ! dit José-Luis. Je te battrai d'abord et puis tu me battras, puis nous ferons la paix.
- Pourquoi ne pas la faire tout de suite ?
- Pourquoi ? Mais pour faire la guerre !
- Ecoute ! L'autre jour, quand nous avons joué, tu étais plus fort que moi, tu m'as trop secoué ; j'ai saigné, j'ai pleuré et ça ne m'amusait guère !
- Eh bien ! du sang, des pleurs, c'est ça le jeu de la guerre !
- Alors attends dimanche ou bien une autre fois quand mon cousin viendra : au moins nous serons trois. Et mon cousin et moi te jetterons par terre.
- A deux contre un ! Non mais tu vas bien ?
Tu cherches donc la guerre ?

Table des

Matières

Dans la même collection